FROGGY MONTA EN BICICLETA

FROGGY MONTA EN BICICLETA

por JONATHAN LONDON
ilustrado por FRANK REMKIEWICZ

SCHOLASTIC INC.
New York Toronto London Auckland Sydney
Mexico City New Delhi Hong Kong Buenos Aires

A Spencer y Macy, que inspiraron este cuento, y a Sean,
Aaron, Natalia, Abby y Shai, que también me
sirvieron de inspiración.
    —J.L.

A los niños de Nueva Orleáns.
    —F.R.

Originally published in English as *Froggy Rides a Bike*

Translated by Madelca Domínguez.

ISBN 13: 978-0-545-03379-4
ISBN 10: 0-545-03379-9

12 11 10 9 8 7 6 5 4 3 2 1   7 8 9 10 11 12/0

Printed in the U.S.A.

First Spanish printing, December 2007

Froggy miró por la ventana.
Su bicicleta nueva brillaba bajo el sol.
—¡Yipiiiii! —gritó.

Saltó afuera,
se montó en la bicicleta, *flop, flop*... ¡*Toink*!
Y se fue.

Pedaleaba tan rápido,
que casi iba
¡a un millón de millas por hora!

Pedaleaba tan rápido,
que empezó a volar
muy alto en el cielo.

¡HUUUUYYYY!

Hasta que vio a su papá,
que estaba muy pero que
muy abajo, llamándolo:

¡FRROOGGYY!

Froggy se detuvo.

Y comenzó a caer…

A caer…

Se despertó y se restregó los ojos.
—¡Buenos días, Froggy! —dijo su
papá—. ¡Ha llegado el día de
comprar tu bicicleta!

—¡*Yipiiiii!* —gritó Froggy.
Saltó de la cama y fue a la
cocina dando saltitos, *flop, flop, flop.*

—Vamos —dijo Froggy.
—Está bien —dijo su papá—. Pero
primero tienes que vestirte.
—¡Ay! —dijo Froggy.

Fue a vestirse
a su habitación
dando saltitos.
¡Sap! ¡Sip! ¡Sup!
¡Sop! ¡Sop! ¡Sop!

—Quiero una bicicleta de montaña
—dijo Froggy en la tienda.
—Pero Froggy —dijo su papá—,
¡primero tienes que aprender a
montar en bicicleta!

—Está bien —dijo Froggy—.
Pero yo la voy a escoger.
¡Quiero esa!
—Demasiado grande —dijo
su papá.

—¡Quiero esa!
—Demasiado cara —dijo su papá.

—¡Quiero esta! —dijo Froggy—.
¡Esta es la bicicleta de mis sueños!

—Está bien —dijo su papá.
—¡Yipiiiii! —gritó Froggy—. ¡Me
encanta mi bicicleta nueva! Pero ahora
necesito una bocina y un timbre.
—¿Los dos? —dijo su papá—. Está bien.
Froggy compró una bocina y un timbre.
¡Tuaa, tuaa! ¡Tilín, tilín!

Cuando llegaron a casa,
todo el mundo se acercó a mirar.
Todos los amigos de Froggy estaban allí,
hasta Frogilina.
—Bueno, Froggy —dijo su papá—. Ahora
monta y pedalea con todas tus fuerzas.
No te soltaré.

—¡Está bien! —dijo Froggy—. Pero
primero tienes que colocar la bocina y el timbre.
¡Después podré montar!

El papá de Froggy puso
la bocina en la bicicleta. ¡*Tuaa, tuaa!*
—Ahora monta y pedalea con
todas tus fuerzas —dijo—.
No te soltaré.
—Está bien —dijo Froggy—. Pero
te falta poner el timbre. ¡Después
podré montar!

El papá de Froggy puso el timbre. ¡*Tilín, tilín!*
—Ahora monta y pedalea con todas tus
fuerzas —dijo—. No te soltaré.

Así que Froggy se montó en su bicicleta, *flop, flop*... *¡Toink!*
Y pedaleó con todas sus fuerzas. *¡Tuaa, tuaa! ¡Tilín, tilín!*
¡Suiss, suiss, suiss!
Pero entonces, el papá de Froggy...

—¡Ayyyyy! —gritó Froggy.
La bicicleta empezó a ir de un lado a otro y a
tambalearse. Froggy comenzó a caer… A caer…

¡*Bam!* Se cayó de espaldas.
Frogilina se rió un poquito.

El papá de Froggy lo ayudó a levantarse.
—¡Bien hecho, Froggy! —dijo—. Ahora
monta y pedalea con todas tus fuerzas.
No te soltaré.

Froggy se limpió
y se montó en la bicicleta, *flop, flop*… ¡Toink!
Y pedaleó con todas sus fuerzas. *¡Tuaa, tuaa!* *¡Tilín, tilín!*
¡Suiss, suiss, suiss!
Pero el papá de Froggy…
¡Lo volvió a soltar!
—¡Sigue, Froggy, sigue! —gritaron sus amigos.

—¡Ayyyyy! —gritó Froggy.
La bicicleta empezó a ir de un lado a otro y
a tambalearse.
Froggy comenzó a caer… A caer…

Pero no se dio por
vencido y gritó:

¡HUUUYYYY!

Y siguió montando en bicicleta...

Arriba y abajo,
arriba y abajo
hasta la hora de la cena.

Todos los amigos de Froggy se fueron a casa, excepto Frogilina.
—¡Mira! —dijo Froggy—. ¡Sin manos!
Froggy soltó las manos...

Y se estrelló contra un árbol. ¡*Pumba!*
Se cayó sobre el trasero.

—¡Ayyyy! —gritó Froggy,
con la cara más colorada que verde.
Frogilina se rió.

A la hora de cenar, Froggy no se pudo sentar.
—¿Qué te pasa? —preguntó su mamá.
—Me duele el trasero —dijo Froggy.
—Froggy se ha hecho pupa —dijo Polly.

Pero a la mañana siguiente,
Froggy se montó en su bicicleta, *flop, flop*... ¡Toink!
¡Tuaa, tuaa! ¡Tilín, tilín! ¡Suiss, suiss, suiss!
Y pedaleó...

Todo el día… *¡boin, boin, boin!*